格林創意想像繪本

**好大一個噴嚏**

文・圖／黛拉克 譯／殷麗君
總編輯／郝廣才 責任編輯／徐意筑 美術編輯／林蔚婷
出版發行／格林文化事業股份有限公司
地址／台北市新生南路二段2號3樓
電話／(02)2351-7251 傳真／(02)2351-7244
網址／www.grimmpress.com.tw
讀者服務信箱 E-mail／grimmpress_service@grimmpress.com.tw
ISBN／978-986-189-359-4 2012年7月初版1刷
定價／280元

格林繪本網
GrimmPress.com.tw

獻給

文獻・洛夫

# 好大一個噴嚏

文·圖 黛拉克

譯 殷麗君

格林文化
www.grimmpress.com.tw

有一個男孩，他打了一個好大的噴嚏，噴嚏大到讓他忘了自己的名字。

噴ㄆㄣ嚏ㄊㄧ大ㄉㄚ到ㄉㄠ讓ㄖㄤ他ㄊㄚ
忘ㄨㄤ了ㄌㄜ媽ㄇㄚ媽ㄇㄚ的ㄉㄜ頭ㄊㄡ髮ㄈㄚ
是ㄕ**黑**ㄏㄟ**色**ㄙㄜ還ㄏㄞ是ㄕ**金**ㄐㄧㄣ**色**ㄙㄜ，
也ㄧㄝ忘ㄨㄤ了ㄌㄜ她ㄊㄚ有ㄧㄡ沒ㄇㄟ有ㄧㄡ
還ㄏㄞ是ㄕ沒ㄇㄟ有ㄧㄡ戴ㄉㄞ眼ㄧㄢ鏡ㄐㄧㄥ。

噴嚏大到讓他反彈到隔壁走道去。等他站起來時，搞不清楚自己在哪裡？也不知道自己是怎麼來的？

他的鼻子皺了一下，再一下，又一下……

「哈啾！」

鼻子裡打出了一個 8，

然後一個 6，又一個 2 ⋯⋯

……接著跑出一個印地安人，
開始教新移民怎麼種玉米……

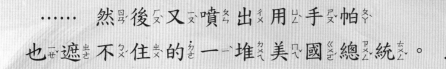

……然後又噴出用手帕
也遮不住的一堆美國總統。 .

那又怎樣？ 還不都是學校教的無聊老套。

又<sub></sub>有<sub></sub>三角龍、暴龍、雷龍，
一邊吼叫，一邊從鼻子裡噴出來。

恐龍把超級市場當成了侏羅紀樂園，
弄得一團亂。
「等一下！」他說，
「我喜歡這些東西。」

亞伯達龍

翼手龍

暴龍

三角龍

吼

接著衝出來的，是他
最喜歡的棒球明星。

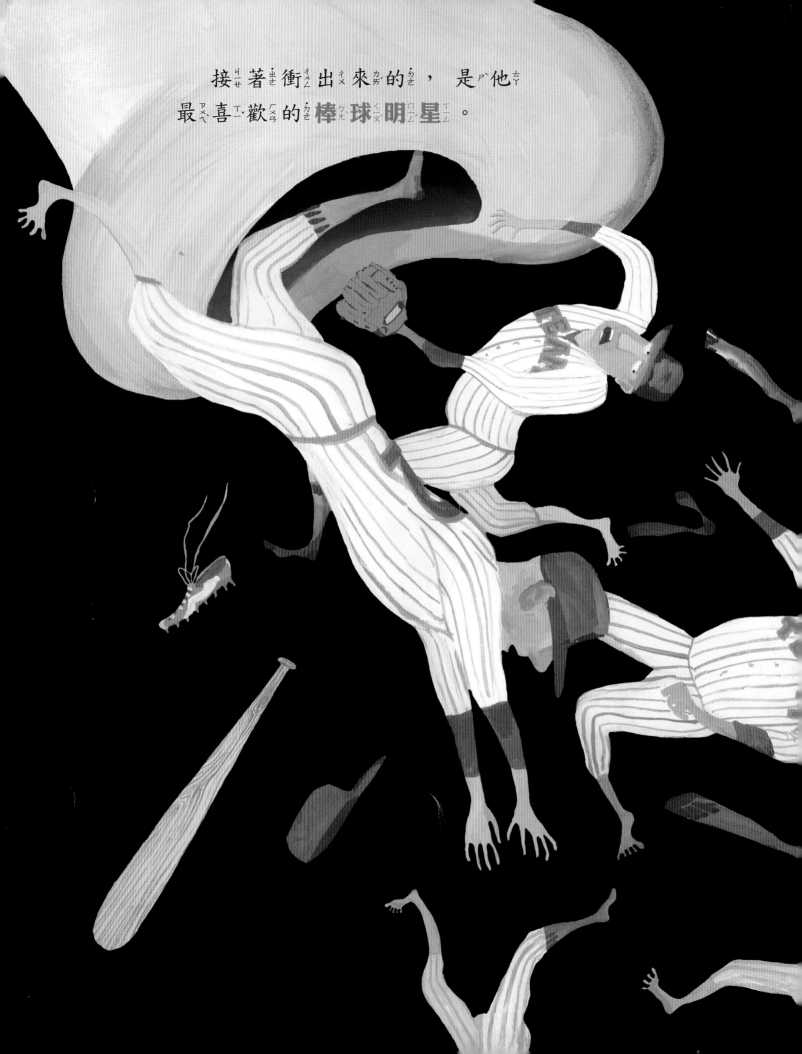

就ㄐㄧㄡ連ㄌㄧㄢ他ㄊㄚ們ㄇㄣ腳ㄐㄧㄠ上ㄕㄤ的ㄉㄜ襪ㄨㄚ子ㄗ也ㄧㄝ被ㄅㄟ噴ㄆㄣ了ㄌㄜ下ㄒㄧㄚ來ㄌㄞ。

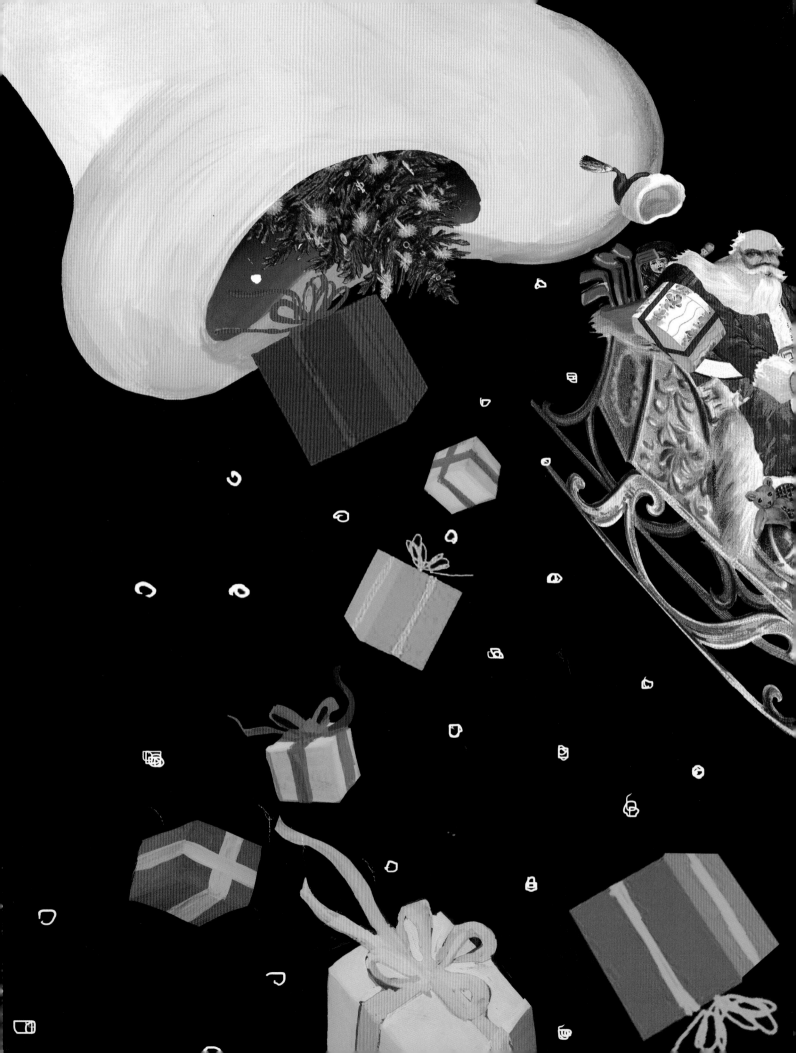

更ㄍㄥ慘ㄘㄢ的ㄉㄜ是ㄕˋ，連ㄌㄧㄢˊ世ㄕˋ界ㄐㄧㄝˋ上ㄕㄤˋ最ㄗㄨㄟˋ棒ㄅㄤˋ的ㄉㄜ聖ㄕㄥˋ誕ㄉㄢˋ節ㄐㄧㄝˊ也ㄧㄝˇ噴ㄆㄣ了ㄌㄜ出ㄔㄨ來ㄌㄞˊ！

他想，這下總沒有東西可以噴了吧？
忽然，又打了一個好大的噴嚏。

結果噴出來的是一些灰塵、一條橡皮筋，和從大腦掉出來的小知識。

男孩搖搖頭，沒聽到東西喀啦喀啦響。

「嘿，」他說，「不打噴嚏了！」

平均體溫是37℃

棉屑

過馬路前要先向左看向右看

火成岩的形成

橡皮筋

美國總統、聖誕老人、棒球員、恐龍和原來在他腦袋裡的東西，全站在他面前，盯著他看。

**「那我們要怎麼回去呢？」**

他完全不知道。一點想法都沒有。原先用來思考的地方，現在裡面什麼也沒有。

他ㄊㄚ的ㄉㄜ大ㄉㄚ腦ㄋㄠ像ㄒㄧㄤ
是ㄕ洩ㄒㄧㄝ了ㄌㄜ氣ㄑㄧ的ㄉㄜ
輪ㄌㄨㄣ胎ㄊㄞ。

A

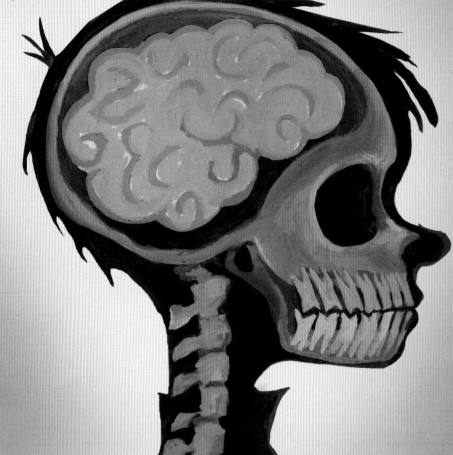

嘶ㄙ嘶ㄙ嘶ㄙ⋯⋯

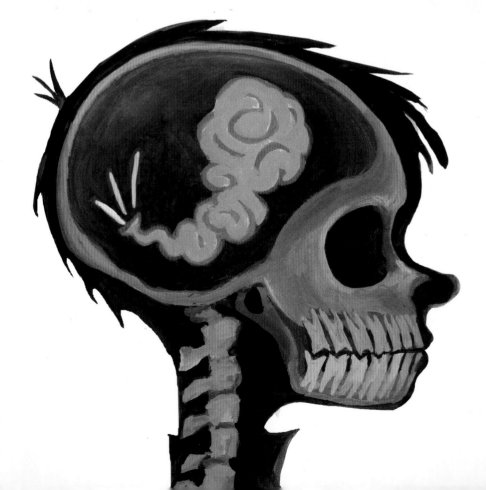

B

……消ㄒㄧㄠ得ㄉㄜ扁ㄅㄧㄢ扁ㄅㄧㄢ的ㄉㄜ。

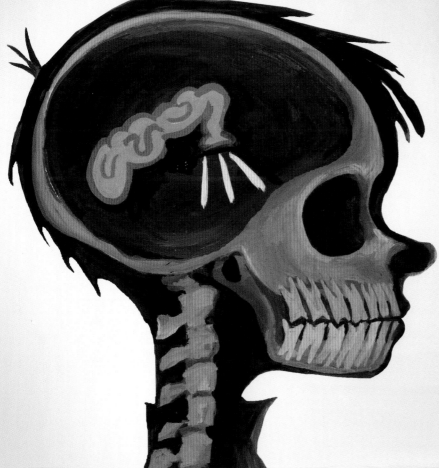

C

他ㄊㄚ的ㄉㄜ眼ㄧㄢ睛ㄐㄧㄥ
湧ㄩㄥ出ㄔㄨ淚ㄌㄟ水ㄕㄨㄟ。
　事ㄕ情ㄑㄧㄥ真ㄓㄣ是ㄕ
糟ㄗㄠ透ㄊㄡ了ㄌㄜ：他ㄊㄚ
沒ㄇㄟ有ㄧㄡ媽ㄇㄚ媽ㄇㄚ，
沒ㄇㄟ有ㄧㄡ名ㄇㄧㄥ字ㄗ，
現ㄒㄧㄢ在ㄗㄞ連ㄌㄧㄢ大ㄉㄚ腦ㄋㄠ
都ㄉㄡ空ㄎㄨㄥ了ㄌㄜ。
　這ㄓㄜ讓ㄖㄤ男ㄋㄢ孩ㄏㄞ
忍ㄖㄣ不ㄅㄨ住ㄓㄨ難ㄋㄢ過ㄍㄨㄛ的ㄉㄜ
吸ㄒㄧ起ㄑㄧ鼻ㄅㄧ子ㄗ來ㄌㄞ。

D

他猛吸鼻子的
動作，將一陣
高壓氣流送進腦袋裡
的低壓區，形成一股**強大的**
吸力，結果將散落在地上的
所有知識，全部吸回去。

咻！ 聖誕老人。 咻！
棒球員。 咻！ 一隻襪子
…… 一個一個被吸進
男孩的鼻孔裡。 咻！
還有雷龍──但才剛
　　　　吸進去一半 ……

看！
一顆葡萄乾！

……強大的吸力把他媽媽從
超市的另一端也吸了過來，
她本來正在排隊買火腿。

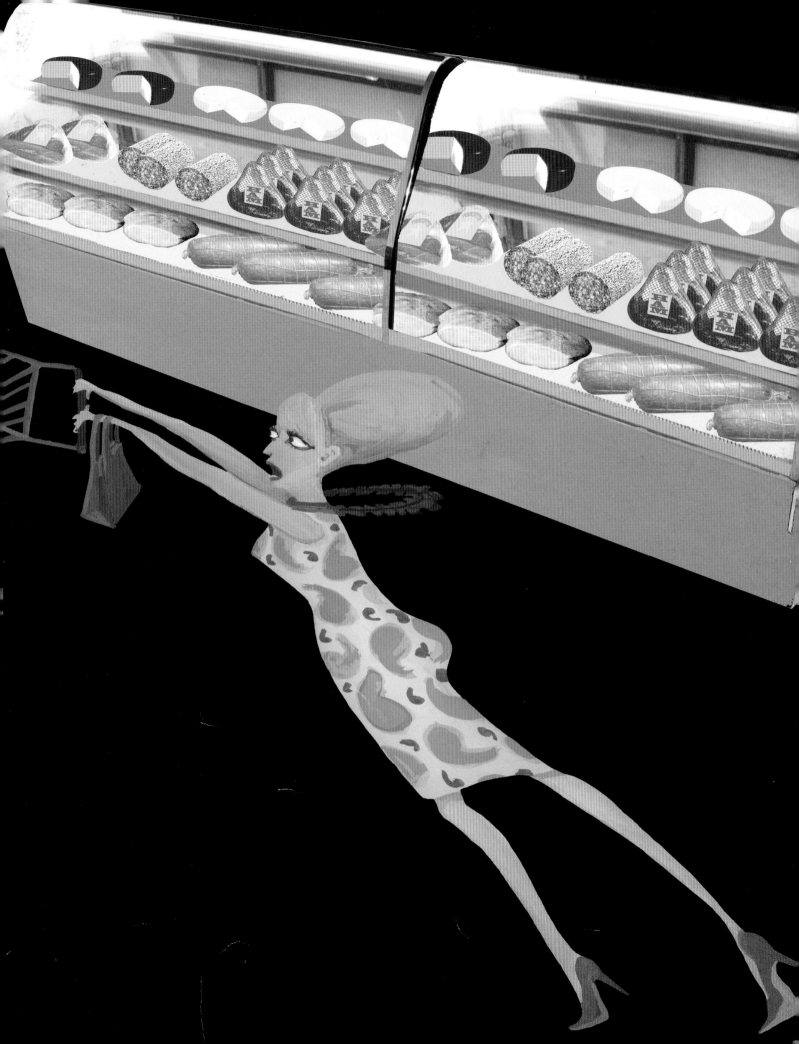

當最後一點知識正要回到他的大腦時，媽媽迅速的從皮包裡拿出一張衛生紙，牢牢蓋在他的鼻子上。

「用力擤，」她說，「你的鼻子掛了一條大大的、綠色的東西。」

就這樣，這個終於想起自己名叫查克的男孩，恢復了記憶。
不過，有一個又大、又綠、慢吞吞、草食性的東西，他還是想不起來。

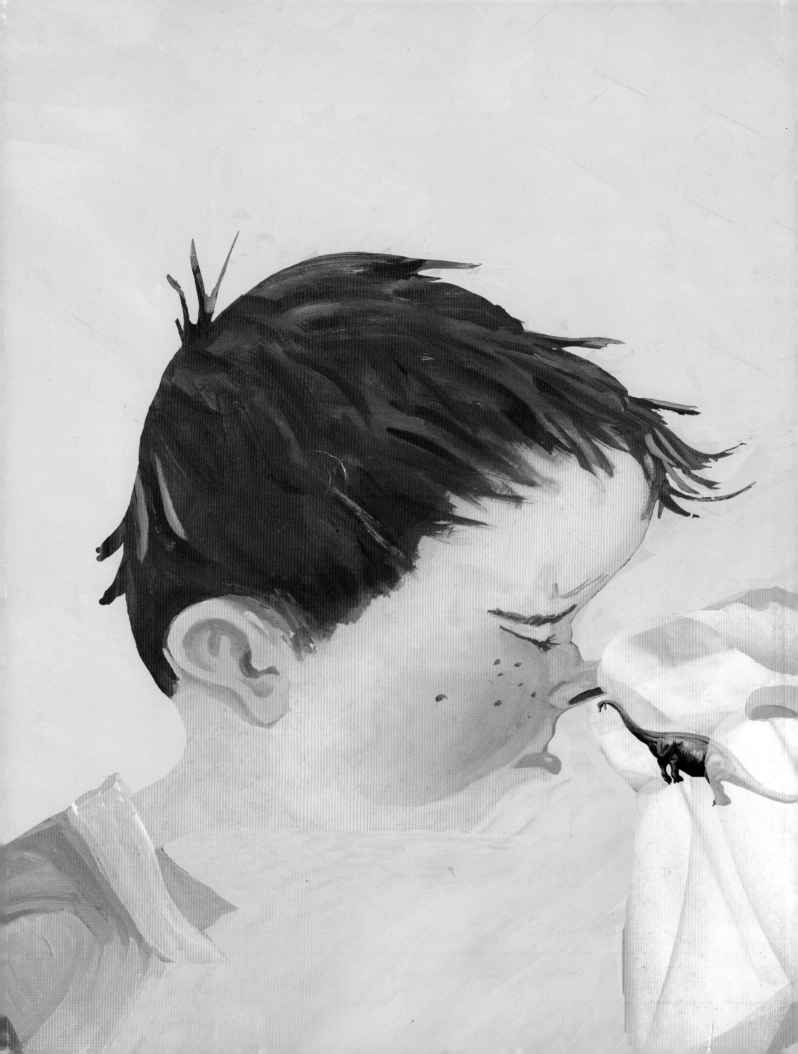